KB104130

우리 손으로 피워 낸 시

·송·이·송·이·꿈·을·피·워·내·다·

우리 손으로 피워 낸 시
봉원중 학우들의 감성시집 2

발 행 | 2023년 12월 20일
저 자 | 봉원중학교 스물셋의 학우들
도 움 | 작가 최상희
펴낸이 | 한건희
펴낸곳 | 주식회사 부크크
출판사등록 | 2014.07.15.(제2014-16호)
주 소 | 서울특별시 금천구 가산디지털1로 119 SK트윈타워 A동 305호
전 화 | 1670-8316
이메일 | info@bookk.co.kr

ISBN | 979-11-410-5913-2
www.bookk.co.kr

우리 손으로 피워 낸 시

지음

강은빈 김단청 김동호 김민주 김서우 김지안 김하준 김현우
남윤지 남현호 노소정 배건호 원하린 이서현 이지민 이지안
이지현 이현아 전현준 정태조 편서윤 한예은 황혁진

CONTENT

제1장 나는 단단하고 반듯하다
: 네모 마음

제2장 자유로운 다채로움
: 다각형 마음

제3장 함께 하는 기쁨
: 동그라미 마음

에필로그

친구들과 있을 때는 자신을 있는 그대로를 표현하며 깔깔거리다가도 어른이 나타나면 본심을 감추고 때로는 눈을 가늘게 뜨며 새초롬하게 바라보기도 하고, 때로는 겁날 것 하나 없다는 듯 눈썹에 힘을 불끈 주기도 합니다. 하지만 우리 아이들 마음 깊숙한 곳에서 풍겨오는 라벤더 향기 같은 마음을 모를 리가 있을까요?

자신의 모습을 잘 드러내는 글을 쓴다는 것은 몹시 어렵습니다. 그래서 우리 아이들이 연필을 쥐고 괴로워하는 모습을 더 많이 보기도 했습니다만, 이 글들은 있는 그대로의 '나'입니다.

'우리 함께 책 만들어 볼까?'라는 주제선택 프로그램에서 열심히 쓴 작품을 모아 시집을 발간하게 되었습니다. 꼭 참여하고 싶어서 선택하기도 하고, 얼떨결에 들어온 아이들도 있었습니다.

시작이 어떻든 모두 열심히 시를 썼고 이렇게 따끈따끈한 시집을 발간하게 되어 아주 기쁩니다.

날것 그대로의 글들이 거칠게 느껴질 수도 있습니다만, 이제껏 자신이 살아온 이야기와 꿈과 희망에 대해 용기 있게 쓴 글입니다.

'우리 손으로 피워 낸 시'라는 제목에서 알 수 있듯이 우리 아이들은 송이, 송이 꽃을 피워내듯 정성 들여 시를 썼습니다. 한 송이의 꽃을 피우기 위해서는 소쩍새와 천둥이 울고, 무서리도 내려야 하듯 우리 아이들은 시를 쓰며 아름다운 미래를 완성하기 위해서 꽃처럼 인고의 시간이 필요하다는 깨달음을 얻게 되었다는 것을 암시하고 있습니다.

앞으로 나아갈 준비가 되어 있는
우리 아이들을 응원합니다.

2023년 12월 어느 겨울날

도움 작가 최상희

나는 단단하고 반듯하다 ; 네모 마음

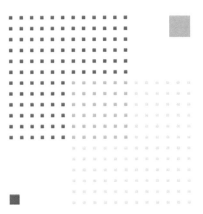

나

강은빈

지금 여기 있는 나는 누구인가?

나의 부모님의 둘째 딸이고
나의 할머니, 할아버지의 손녀이고
나의 인형의 친구이고
나의 언니의 동생이고
나의 동생의 작은 누나이고
나의 학교의 학생이고
나의 선생님의 제자이고
나의 사촌 동생들의 사촌 언니이다.

*나는 인사를 잘하는 예의 바른 사람이며,
요리를 좋아하는 사람이다.

베개

강은빈

그래 너도 살아봐야지
너도나도 베개가 되어
무거운 머리를 들고도 푹신함을 주는
베개가 되어

살아봐야지
편안한 밤을 주며 힘듦을 나누는
베개처럼, 포근한 구름처럼

*나는 용감한 사람이다. 왜냐하면, 도전을 잘하기 때문이다.

자유

김단청

모든 사람은 자유를 얻기 위해 애쓴다
나 또한 그 많은 자유를 얻으려는 사람 중 하나
하지만 얻은 그 자유가 진짜 생각했던 자유인가?

자유는 노력하지 않으면 영원하지 않다
자유에 만족하지 마라
진정한 자유는 그 누구도 얻을 수 없다
그러니 현재에 만족하고 애쓰지 마라
자유의 갈망에서 벗어나야 자유에 가까워진다

나는 내 이익을 위해서일 때면 머리가 잘 돌아가는
제한 천재다

요리

김단청

요리, 큰 형의 취미
난 큰 형을 잘 따른다. 나도 요리하고 싶다
요리도 무엇도 전부 기본이 있다
내가 생각하는 요리의 기본, 프라이팬.
볶은 밥은 프라이팬으로 만들 수 있다
볶은 밥의 한 종류 필라프, 형이 몇 번 해줘서 먹었다

아, 필라프 먹고 싶다

나

김동호

지금 여기 있는 나는 누구인가?

나의 존재의 영혼이고
나의 몸의 주인이고
나의 생각의 근원지이고
나의 나라의 국민이고
나의 부모님의 아들이고
나의 할아버지의 손자이고
나의 행복의 핵심이고
나의 마음의 불씨이고
나의 인생의 주인공이다.

*나는 해바라기이다. 왜냐하면, 한 곳을 목표하여 자라나고
꺾이거나 부러져도 결코 나의 의지는 파멸하지 않기 때문이다.

쓰러지지 않는 기둥처럼

김동호

그래 너도 살아봐야지
너도나도 기둥이 되어
역경에 버텨내는 기둥이 되어

살아봐야지
쓰러지는 법이 없는 강인한
기둥처럼, 모두에게 버팀목이 되는
단단한 기둥처럼

내 손에 피어나는 꽃

김동호

초등학교 때
매주 이야기책을 쓰는 것이
숙제였다
처음엔 매주 생각의 고통을 느끼며
힘들어했다

하지만 내 손에서
피어나는 꽃 한 송이가
나를 애쓰게 만들었다

8줄, 12줄, 15줄, 30줄, 50줄…
조금씩 양을 늘리고
풍성하게 피워내니
1년 후에는 마침내

'절경이 펼쳐졌다!'

나

김민주

지금 여기 있는 나는 누구인가?

나의 동생의 누나이고
나의 삼촌의 조카이고
나의 가족의 첫째이고
나의 친구의 친구이고
나의 아이돌의 팬이고
나의 합창단의 단원이고
나의 안경의 주인이고
나의 학교의 학생이고
나의 사촌의 누나이다.

*나는 바나나이다. 왜냐하면, 바나나를 먹을 때 행복한 것처럼
친구들이 날 보면 행복해하기 때문이다.

밤에도 빛나는 반딧불이처럼

김민주

그래 너도 살아봐야지
너도나도 반딧불이가 되어
밤을 밝게 비춰주는 반딧불이가 되어

살아봐야지
빛을 내지 말라는 법이 없는 반짝
반딧불이처럼, 아침이 되면 빛이 사라지는
반딧불이가 되어

키

김민주

나는 키가 작은 편이다

우유를 먹어도 작고
치즈를 먹어도 작고
시금치를 먹어도 작다

키는 역시 유전이 짱

나

지금 여기 있는 나는 누구인가?

나의 아버지의 딸이고
나의 친구의 친구이고
나의 오빠의 동생이고
나의 고양이의 주인이고
나의 선생님의 제자이다.

*나는 백지다. 왜냐하면, 아직 아무것도 채워지지도 않고
아무것도 물들지 않았기 때문이다.

흩날리는 바람처럼

그래 너도 살아봐야지
너도나도 바람이 되어
살랑살랑 부는 사람이 되어

살아봐야지
어디든가는 바람처럼
미련 없이 흩날리는 바람이 되어

*바람처럼 미련없는 사람이 되고 싶었던 것 같다.
나도 바람처럼 흘러가는 사람이 되고 싶다.

축제

김서우

축제 준비가 힘들었다
3시까지 못 자 힘들었다
적은 인원이서 준비해 힘들었다
연습도 힘들었다
그냥 다 힘들었다

그래도
재미있었다

나

김지안

지금 여기 있는 나는 누구인가?

나의 엄마 아빠의 딸이고
나의 언니의 동생이고
나의 학교의 배구부 부원이고
나의 사촌 동생의 그림 친구이고
나의 봉원중 1학년 2반 6번이고
나의 친구들의 웃음 벨이고
나의 집의 먹보이고
나의 사촌 언니의 장난꾸러기이고
나의 배구공의 (어쩌면) 사악한 주인이고
나의 반의 학생이다.

*나는 파도이다. 파도처럼 감정이 넘치고 마음이 약해
자주 일렁일렁거리기 때문이다.

자랑

김지안

나는 끈기가 있다.
나는 배구를 잘한다.
나는 친구를 좋아한다.
나는 그림을 잘 그린다.
나는 눈썹이 잘 생겼다.
나는 잘 먹는다.
물론
단점도 있지만
나는 장점이 더 많다.

바람에 흔들리는 잔디처럼

김지안

그래 너도 살아봐야지`
너도나도 바람에 흔들리는 잔디가 되어
이리저리 흔들리는 잔디가 되어

살아봐야지
꺾임 없는 살랑살랑
잔디처럼, 어디든 잘 자라나는
위기를 기회는 바꾸는 잔디가 되어

*꺾임 없이 이겨내는

힘들어도 이리저리 치여도
꺾일 것 같아도 꺾이지 않고 이겨내는
나는 할 수 있다고 마음에 새기고
다시 한걸음 나아간다.

애씀

김지안

배구를 한 지 얼마 되지 않았을 때는
오버 서브를 하기 위해 점심도 거르고 체육관으로 갔다
그래도 되지 않을 때 나는 잠이 들기 전 울었다

인스타에 그림 그리는 사람들을 보면
다 잘 그린다
그 사람들을 따라 하려
연필을 들지만
그들과 같은 그림은 그려지지 않는다

그래도 나는 계속 더 열심히 애쓴다

나

김하준

지금 여기 있는 나는 누구인가?

나의 부모님의 아들이고
나의 형의 동생이고
나의 동생의 오빠이고
나의 친구의 친구이고
나의 선생님의 제자이고
나의 학교의 학생이고
나의 스마트폰의 주인이고
나의 도시의 주민이고
나의 집의 둘째 아들이고
나의 아저씨의 조카이다.

애쓴다

김하준

나

김현우

지금 여기 있는 나는 누구인가?

나의 친구의 친구이고
나의 동생의 오빠이고
나의 딴사람의 사람이고
나의 놈의 놈이고
나의 오프라인의 로봇이고
나의 병원의 손님이고
나의 병균의 특화이고
나의 피의 모기의 밥이고
나의 친구의 행복이다.

내려가는 주식처럼

김현우

그래 너도 올라가야지
너도나도 잿돈이 되어
떨어지고 떨어지는 파도같이

올라가야지
내려가는 주식처럼
주식처럼 언젠가 올라가는
미련 있는 주식처럼

자랑

다른 사람들과 많이 말하고
절대 밥 안 남기고
자전거를 좋아하고
자전거를 연구하며
힘든 가족을 위해
춤추는 신기한 놈이다

나

남윤지

지금 여기 있는 나는 누구인가?

나의 아버지의 딸이고
나의 오빠의 동생이고
나의 친구의 친구이고
나의 고모의 조카이고
나의 집의 막내이고
나의 배구공의 주인이고
나의 선생님의 제자이고
나의 선배의 후배이고
나의 몸의 주인이고
나의 햄스터의 언니이다.

*나는 연필깎이다. 왜냐하면,
연필에게 필요한 것이 연필깎이인 것처럼
모두에게 필요한 사람이기 때문이다.

실패해도 함께 보이는 새가 되어

남윤지

그래 너도 살아봐야지
너도나도 새가 되어
실패해도 함께 보이는 새가 되어

살아봐야지
실패하는 법이 없는 날쌘
새처럼, 훨훨 날아가는
새가 되어

자랑

남윤지

나는 튼튼한 나무처럼
넘어지지 않는 사람이고
나는 하늘에 날아다니는 새들처럼
활발한 사람이다
또 시들지 않는 멋진 꽃들처럼
뚝심도 강하다

애씀

나는 배구를 잘하기 위해 애를 썼다
다리가 부들부들 거릴 만큼,
다음날 근육통이 와 아무것도 못 할 만큼,
정말 열심히 했다

하지만 달라지는 건 내 마음뿐이다
내 마음은 노력한 만큼 깎아 내려간다
내 깎여 내려간 마음은 고름이 생기고
흉터가 남는다
현재도 그러는 중이다

하지만
뭐 어떻게 해
배구가 좋은걸

나

노소정

지금 여기 있는 나는 누구인가?

나의 어머니의 딸이고
나의 컴퓨터의 주인이고
나의 급우의 천사이며
나의 급우의 앙숙이고
나의 아파트의 거주자이고
나의 학교의 학생이고
나의 그림의 창작자이고
나의 선생님의 제자이고
나의 단골 카페의 고객이고
나의 시간의 주관자이다.

*나는 무화과이다.
꽃이 드러나 있지 않아 '꽃 없는 열매'라고 불리지만
실은 속의 과육이 꽃인 무화과처럼 나도 특별한 것 없어 보이지만
상당한 잠재력을 갖추고 있기 때문이다.

홀로 자라는 숲처럼

노소정

그래 나도 살아봐야지
너도나도 숲이 되어
햇빛만으로도 쑥쑥 자라는 숲이 되어

살아봐야지
혼자 힘으로 영그는 푸르른
숲처럼, 이 세상 뭇 산들의
여왕님처럼

자랑

노소정

앙숙에게도 웃는 낯으로 대하는 상냥한 사람이고
좋아하는 것을 마음 가득히 담을 수 있는 당당한 사람이다.

예쁜 캐릭터 일러스트로 정평이 나 있으며
누구나 쉽게 가질 수 없는 장기를 가득 가졌다.

나는 모든 것을 진심으로 대하는 모범생이자,
언젠가의 세계평화를 꿈꾸는 이상주의자이다.

나도 참

노소정

등 떠밀려 쓴 감투 하나
그 이름은 학급회장
응원이 고마워 동분서주하니
반년이 훅 갔다

시간이 지나 감투는 자연스러이 넘어가고
아이들은 둘로 나뉘었다

수고했다며 어깨를 두드려준 쪽과
왜 이리 못했냐며 뺨을 후려갈긴 쪽

내 마음을 더 후벼간 건
단 한 명에게 따귀를 맞고 남은 얼얼함

나도 참 유리 같은 놈이다

나

원하린

지금 여기 있는 나는 누구인가?

나의 청춘의 주인공이고
나의 눈의 주인이고
나의 피의 살이고
나의 시간의 소비자이고
나의 돈의 주인이고
나의 인생의 1인칭이고
나의 반지의 주인이다.

*나는 김치이다. 왜냐하면,
김치는 어떤 요리에도 잘 어울리듯 융통성이 있기 때문이다.

장미 사이 가시처럼

그래 너도 살아봐야지
너도나도 가시가 되어
손 뻗어 만지려면 찔리는 가시가 되어

살아봐야지
꺾이라는 법이 없는 뾰족한
가시처럼,

자랑

나는 다리 찢기를 잘하는 유연한 사람이고
다 이쁘지만, 특히 눈이 예쁘고
타자가 빨라 친구들과 잘 소통하고
베푸는 걸 좋아해서 요리를 잘하는 사람이다.

눈 밑에 예쁜 눈물점이 있고
[말발] 드립력이 좋아 친구들을 웃겨주기에
대인관계가 좋으며
평소에도 좋지만 노래할 때 목소리가 빛나는 사람이다.

눈치가 빨라 상대방의 기분이나 좋아하는 것을
잘 맞추는 센스쟁이이며
얼굴이 작고 머릿결이 좋다는 소리를 듣는다.

발음이 좋고 암기력이 좋아 공부에 도움이 되고
용기가 있어 반품도 잘하는 사람이다.

48 우리 손으로 피워 낸 시

나는 재능 파

슈의 라면 가게에서 알바를 했다
처음엔 손님들이 구박하고
사장님이 설거지까지 시켰다

하지만 시간이 지나고 나니
나는 시급 만 원을 벌었다
나는 라면을 맛깔나게 끓이게 되었다
시간이 약이다

나

이서현

지금 여기 있는 나는 누구인가?

나의 오빠의 동생이고
나의 부모님의 딸이고
나의 학교의 학생이고
나의 친구의 친구이고
오직 하나뿐인 이서현이다.

*나는 겨울에 먹는 붕어빵이다. 왜냐하면, 에너지가 많기 때문이다.

쳐도 돌아오는 오뚝이처럼

이서현

그래 너도 살아봐야지
너도나도 오뚝이가 되어
'툭' 쳐도 다시 돌아오는 오뚝이가 되어

살아봐야지
넘어지는 법이 없는 둥근
오뚝이처럼, 끈기가 넘치는
인간처럼

자랑

이서현

나는 지능적인 머리를 가지고 있어
지능적인 수학을 잘하고
매력적인 입술을 가지고 있어
말을 센스있게 하고
마법적인 손을 가지고 있어
피아노를 잘 치고, 그림을 잘 그린다

배구

이서현

배구부에 들어온 지
어느덧 한 달
난 아직 오버 서브를
못한다

애쓰며 연습
또 연습
.
.
.
아직 진행 중인
배구 연습

나

이지민

지금 여기 있는 나는 누구인가?

나의 핸드폰의 주인이고
나의 체육복의 주인이고
나의 필통의 주인이고
나의 가방의 주인이고
나의 칫솔의 주인이고
나의 양말의 주인이고
나의 수학책의 주인이고
나의 빛의 주인이고
나의 마구간의 노예이다.

날개를 펼치는 독수리처럼

이지민

그래 너도 살아봐야지
너도나도 독수리가 되어
날개를 펼치는 독수리가 되어

살아봐야지 기죽는 법이 없는 당당한
독수리처럼, 누가 뭐래도 하늘 위로 날아오르는
새들의 왕처럼

자랑

이지민

나는 프린트기처럼 글씨를 바르고 곱게 잘 쓰고
누구 앞에서도 꺾이지 않는 당당함과 솔직함을 가지고 있고
성실하고 책임감이 있으며 완벽함을 추구한다.

*나는 비눗방울이다. 왜냐하면,
속마음을 숨기지 않고 모두 드러내는 솔직한 사람이기 때문이다.

중간고사

이지민

네가 다가올수록
내 마음은 멀어진다

욕심이 커질수록
끝내 허무함은 더 커진다

몇 주를 너 하나 바라보며 살았다

결과는 조금 아쉬웠지만
할 만큼 했다

애썼다

나

이지안

지금 여기 있는 나는 누구인가?

나의 선생님의 제자이고
나의 친구의 친구이고
나의 햄스터의 주인이고
나의 기타의 주인이다.

*나는 성벽이다. 왜냐하면,
다른 외부의 괴롭힘이나 구박에 자존감이 낮아지지 않기 때문이다.

넘어져도 다시 서는 오뚝이 되어

이지안

그래 너도 살아봐야지
너도나도 오뚝이 되어
넘어져도 다시 서는 오뚝이가 되어

살아봐야지
쓰러지는 법이 없는 오뚝이처럼

왕자처럼

축제

이지안

왁자지껄 축젯날
다른 아이들은 마음 편하게 감상하는데
우리는 축제 진행을 위해 애쓰네
다른 아이들이 다 함께
노래 부르며 신날 때

방송부인 우리는 애쓰네

나는

이지현

나는 태양이다.
왜냐하면, 내가 주변에 가면 어둡던 것도
태양이 가면 밝아지는 것처럼

나도 어둡던 곳에 가서
밝게 비추기 때문이다.

밤에 반짝이는 별처럼

이지현

그래 너도 살아봐야지
너도나도 별이 되어
밤에 빛나는 별이 되어

살아봐야지
빛이 사라지는 법이 없는 반짝이는
별처럼, 커다랗고 밝은
별처럼

나

이현아

지금 여기 있는 나는 누구인가?

나의 동생의 누나이고
나의 엄마의 딸이고
나의 아빠의 딸이고
나의 학교의 학생이고
나의 공부방의 회원이고
나의 친구의 친구이고
나의 1학년 2반 교실의 학생이고
지구에 사는 한 사람이다.

*나는 보물이다. 왜냐하면, 미래가 반짝반짝 빛나기 때문이다.

살아가는 사람처럼

이현아

그래 너도 살아봐야지
너도나도 사람이 되어
그냥 살아가는 사람이 되어

살아봐야지
무너지는 법이 없는 사람처럼
쓰러지는 법이 없는 사람처럼

자랑

이현아

나는 선생님들께 인사를 잘하는 바른 아이이고
친구들에게 간식을 나눠주는 착한 아이이다.

기타

이현아

나에게 기타가 생겼다!
F 코드 잡는 연습을 한다

실패했다

다시 한번 더 잡아본다
또 실패했다

오!?
이제 소리가 나는가 하면
또 실패한다

짜증 나서 기타 부실 뻔했다

운동

전현준

나는 운동을 좋아한다
그리고 잘한다

나는 축구를 가장 잘한다
그래서 축구를 많이 한다

나는 농구를 잘한다
그래서 농구를 많이 한다

자랑

전현준

나는 잘생겼고
축구 잘하고
농구도 잘하고
공부도 잘한다

나

정태조

지금 여기 있는 나는 누구인가?

나의 엄마의 딸이고
나의 오빠의 동생이고
나의 친구의 친구이고
나의 봉원중학교의 학생이고
나의 이웃의 이웃이다.

*나는 뽀로로다. 왜냐하면, 노는 걸 좋아하기 때문이다.

몽실몽실 솜사탕처럼

정태조

그래 너도 살아봐야지
너도, 나도 솜사탕 되어
푹신푹신한 솜사탕이 되어

살아봐야지
딱딱한 법 없는 푹신푹신한
솜사탕처럼, 따뜻한 솜사탕 되어

공부

정태조

쓱쓱쓱
연필 소리

쓱싹쓱싹
지우개 소리

딸깍딸깍
볼펜 소리

촤락촤락
책 넘기는 소리

밤새 이 소리들로 가득 채웠더니
다음날 내 시험 성적

100점!!!

넘어져도 올라오는 오뚝이처럼

편서윤

그래 너도 살아봐야지
너도나도 오뚝이가 되어
넘어져도 올라오는 오뚝이가 되어

살아봐야지
넘어지라는 법이 없는 둥근
오뚝이처럼, 넘어져도 다시 올라오는
계단처럼

꿈

편서윤

나는 꿈에 대해 애를 쓴다
어떻게 하면 내 꿈에 대해 한 걸음 다가갈까
오늘도, 내일도 애를 쓴다

나

한예은

지금 여기 있는 나는 누구인가?

나의 엄마의 딸이고
나의 동생의 언니고
나의 학교의 학생이고
나의 가족 중 첫째이고
나의 친구의 친구이고
나의 선생님의 제자이다.

안경

한예은

그래 너도 살아봐야지
너도나도 안경처럼
안 보여도 다시 보여주게 하는

살아봐야지
안 보이는 법이 없는 동그란
안경처럼, 모든 것을 다
보는 몽골인처럼

자랑

한예은

나는
키가 큰 사람이고
이웃에게 인사를 잘하는
예의 바른 사람이고
공부도 평타를 치는 사람입니다.

사회

한예은

사회에는 여러 가지 종류가 있다
나는 사회 시험을 잘 보기 위해
열심히 공부를 한다

코피가 나도, 배가 고파도
그걸 참고 나는 묵묵히 공부를
이어나간다

대망의 D-day
난 가슴이 뛴다

결과는 100점!

나

황혁진

지금 여기 있는 나는 누구인가?

나의 친구의 친구이고
나의 아빠의 아들이고
나의 엄마의 아들이고
나의 누나의 동생이고
나의 선생님의 제자이고
나의 연필의 주인이고
나의 학교의 학생이고
나의 반의 27번이고
나의 할아버지의 손자이고
나의 할머니의 손자이다.

자랑

황혁진

나는 만능이다
왜냐하면, 다 잘하기 때문이다
나는 눈 밑 점이 예쁘다
웃을 때 사람들에게 기쁨을 준다

자유로운 다채로움, 다각형 마음

젤리

강은빈

먹는 걸로 스트레스를 풀고
먹는 걸로 기분을 푼다

단맛으로 나의 마음을 사르르 녹이고
신맛으로 쌓인 스트레스를 톡톡 터트리고

젤리는 이기적인 선물이다
충치와 행복을 주니까

하지만 나에겐 다름없는 행복

보고 싶은 밤

강은빈

친구와 이별하는 날
지금까지의 정이 든 만큼
눈물을 흘린다

오늘을 기억하고
또 기억하며
노을이 지고 하늘은 까매진다

오늘의 밤은 다시 오지 않고
보고 싶을 것이다

보고 싶은 그 날의 밤

라면

김단청

열라면 먹고 싶다
매운 라면 먹고 싶다
여러 가지 넣어 먹고 싶다

햄, 계란, 떡, 파 넣고 싶다
햄, 떡은 얇게, 파는 송송송
계란을 풀고 면 넣은 다음

라면에 이런 걸 넣으면 맛있다
하지만 컵라면은 불편해서 안 넣는다
면 조금 남았을 때 식은 흰밥 넣어 먹으면 꿀맛

어떤 라면을 먹는 게 맛이 천지 차이다
맛없을 수도 있고, 있을 수도 있다
하지만 평타는 친다

장어덮밥

김단청

아, 장어덮밥 먹고 싶다
붕장어 같은 것도 좋지만
자연산 뱀장어로 먹고 싶다

장어덮밥에 양념도 사용되는데
돼지갈비 양념 소스가 좋을 것 같다
뱀장어는 90년 동안 살 수 있어 자연산도 일부 있다
뱀장어 혈액엔 독소가 있어서 전문점에서 먹어야 한다

밥은 보리밥, 장어 위에 살짝 레몬즙
장어 구울 때 마늘과 양파랑 같이 굽는다
데코로 김자반.

이사

김단청

친한 친구 한 명이 있었다
순진했을 유치원 때
절친이었다 친했다
이사 가기 전까지

이사 가고 잃고 잊었다
하지만 마음속에선 기억하고 있다
걔가 날 기억한다면
다시 만날 수 있을까?

여름의 빙수

김동호

첫눈이 내린다
내 그릇에 내린다
여름에 오는 첫눈
'눈꽃 빙수'

세계의 과일들이
내 그릇에 여행 온다
여름에 세계여행
'과일 빙수'

나의 액운들이
내 그릇을 떠난다
여름에 쫓아내는 액운
'팥빙수'

행복하다
'여름의 빙수'

진정한 이별

김동호

싫어해서 이별했다면
그 사람에 대해 말하지 말아야 하고

좋아했지만 이별했다면
너의 최선은 그 사람의
행복을 빌어주는 것이다

싫어해서 이별했다면
하나의 경험으로 생각하고
좋아했지만 이별했다면
하나의 추억으로 생각하고
여운을 남기지 말아야 한다

진정한 이별은 싫든 좋든
서로 행복을 빌어주고
경험이나 추억으로
남기는 것이다

엽기 떡볶이

김민주

엽떡, 스트레스가 해소되는 음식
엽떡을 먹을 대면 아무 생각이 들지 않고
머릿속이 하얘진다

친구들은 엽떡을 마요네즈에 찍어 먹는 걸
싫어한다
왜 싫어해???

이 조합이 얼마나 잘 어울리는데
안되겠어, 엽떡. 너 나랑 결혼해

친구

김민주

친구는 항상 나를 행복하게 만든다

매일 함께 놀고
외로울 때는 같이 있어 주고

나를 좋아하는 친구들이 많기에
행복할 수 있다

친구는 나의 인생의 반쪽

이별

김민주

7년 동안 수고한 우리 집

낡고
아늑했던
우리 집은
새롭게 변해 있었고
신기했다

이제는

다른 주인 만나
행복하게 지내

안녕

커피

김서우

내 피의 70% 인 것 같은 커피
맛은 쓴데 마시면 달다
고소하고 향긋하고 맛있는 커피
하지만 많이 먹으면 독이 된다

그리고 이미 독이 된 것 같다

우리는 친구

김서우

우리는 친구이다
우리는 얼굴도, 키도 다르다
우리는 피부색도, 목소리도 다르다
그래도 우리는 친구이다

우리는 친구이다
우리는 성격도, 취향도 다르다
우리는 성별도, 인종도 다르다
그래도 우리는 친구이다

살다 보면 나와 다른 누군가를 만나기 마련이다
그럴 때는 다름을 수용하고 모두 친구가 되자

우리는 친구이다

김치찌개

김지안

어릴 때 밥 한 공기도 못 먹던 나는
우리 엄마의 김치찌개만 있으면
밥 한 공기 반을 뚝딱! 먹었다

지금의 나는 밥 한 공기 먹으면 배부르지만
우리 아빠의 등갈비 김치찜만 있으면
밥 두 공기를 배부르게 먹는다

배구

김지안

"아침 배구" 그 한마디에 벌써 들떠있다
바람에 흔들리는 잔디처럼 살랑살랑
바람에 몸을 맡기듯 살랑살랑

점심에는 하루 동안 굶주린 맹수처럼 밥을
우다다 먹고, 먹이를 발견한 맹수처럼
우다다 강당으로 달려간다

수업 중에 공책 끝부분에 배구공 하나를 그려본다

종례가 끝나고 나는 누구보다 빠르게 강당으로 달려가
지주대를 치고 네트를 설치하고 우리처럼 높이
올라가는 공을 바라본다

*배구

이름만 들어도 설레서 달려간다
열정이 식어도 쫌만 시간이 지나면
다시 열정이 올라간다
배구에 나는 점점 빠져든다

크리스마스

김지안

벌써 한 달 조금 넘게 남았다
세월이 바람처럼 휑~하고 날아간다

인스타에는 크리스마스 장난감, 쿠키들이 뜬다
분명 겨울은 춥지만, 작년의 크리스마스를 떠올리면
따뜻해진다

친구들과 어떻게 놀지 곰곰이 생각해본다

나는 나의 기대를 포장해
크리스마스트리 아래에 놓고
크리스마스가 되길 기다린다

*크리스마스 선물

좀 크면서 부모님이 크리스마스 선물을 주지 않으신다.
예전에는 속상했었다.
"다들 선물 받던데…."
하지만 지금은 다시 생각해본다.
부모님이 나와 함께 저녁을 즐기는 이 시간이
어쩌면 더 큰 선물이라는 것을

누군가와의 이별

김지안

분명 만난 지 얼마 안 된 것 같지만 벌써 5개월이나 지났다
같이 논 적도 별로 없는데…
그저 두 번 같이 경기를 뛰니 벌써 헤어질 때가 되었다
마지막 배구 경기가 끝나고 우리는 서로를 꺼안고 울었다

*가끔 자기 전에…

가끔 자기 전에 생각한다
진짜 얼마 안남았네…
진짜로 이별할 때가 되면
눈물, 콧물 다 흘릴 것 같다
그때의 감정은 감히
상상할 수 없다

바퀴벌레

김하준

꼴 보기 싫지만 내 앞에서 사라지지 마
나와 바퀴벌레는 30분째 눈치 게임 중이다

나는 바퀴벌레에게 눈을 떼지 않고 살금살금 걸어가
에프킬라를 잡는다
지금이닷!

나는 내방에 에프킬라 한 통을 다 뿌렸다.
바퀴벌레가 날개를 펴고 푸드덕푸드덕 거린다
으아아아아아악!
나의 방은 바퀴벌레에게 점령당했다

내가 용기를 내어 방문을 열자
공포의 숨바꼭질이 시작되었다
여기 보고 저기 보고
하지만 바퀴벌레는 온데간데없다
내가 안심하고 의자에 앉자
짜잔!
으아아아아!
나의 집은 바퀴벌레에게 점령당했다

나는 용기 있게 집에 들어가 종이컵을 집고
바퀴벌레와 두 번째 눈치 게임이 시작됐다
내가 바퀴벌레에게 조심스럽게 한 발 한 발 다가갔다
나는 빠르게 바퀴벌레에게 종이컵을 씌웠다
그리고 상자란 상자는 다 가져다 덮었다

나는 안심하고 종이컵을 열었다
공포의 숨바꼭질은 계속된다

국밥

김현우

옛날부터 내려온 이것
'국밥'

천민만의 먹거리도 아니고
왕족만의 먹거리도 아니고
평민만의 먹거리도 아닌

우리 모두의 먹거리
그것이 바로 국밥

증명

김현우

친구와 나는 거의 만난 지 반년이 지났어요
너 내 친구니?
나의 친구라면 증명을 해!
친구는 어이가 없어서 저 멀리 가네요

친구와 나는 6년 친구예요
너 내 친구 맞지?
나의 친구라면 증명해!
친구는 욕을 하며 증명을 하는군요

친구란 참 어지러운 일인가 봐요

기다림

김현우

친구를 기다리다 보면 많은 생각이 든다

뭐 하고 있나?
지금 다 와 가나?
오다가 넘어졌나?

기다리고
기다리고
기다리다가

마침내 저 멀리 나의 친구가 온다
소중한 친구

*시간

기다리는 것은
아주 짧으면서도
아주 긴 시간입니다

가는구나

김현우

너도 결국 가는구나
저 멀리 가는구나
나의 장난감
3년 전에나
지금이나
언제나 그립구나

나의 친구
나의 동생
나의 동심

만원

김현우

100년 전이면
집 **월세**를 내고
50년 전이면
자동차 **기름값**이고
25년 전이면
배부르게 2일 동안 **밥** 먹을 수 있고
10년 전이면
장난감값이고

지금은
소소하게 먹을 수 있다

김밥

남윤지

김밥에 참치를 넣으면
참치김밥

김밥에 치즈를 넣으면
치즈 김밥

또 무엇을 넣어볼까?

정말 맛있는 김밥들

배구

남윤지

난 배구가 좋다
정말 정말 좋다

왜지?

나도 모른다
그냥 행복해진다
마냥 좋기만 하다

배구가

너와의 이별

남윤지

나는 보내줬다
나는 이별했다

만난 지 50일쯤 되자 이별을 택한 너

내가 너무 무관심했을까?
내가 불편했을까?

나는 울었고, 너는 누웠다
뭐, 어쩔 수 없는 운명이니까

*너

'너'가 보고 싶다.

라면

남현호

나는 라면이 좋다
배고플 때마다
끓여서 먹을 것이다

비

남현호

오늘도 비가 온다

날이 흐리면
날마다 비가 올 것 같다
마치
내 기분같이

이별

남현호

나는 옛날에 인형들과 장난감을 가지고 놀았다
하지만 시간이 지나면서 내 손에 있어야 할
인형이 핸드폰으로 바뀌었다

책상에 있던 장난감들은 전자기기로 바뀌었다
동시에 우리 엄마의 표정도 바뀌었다
분명 웃음 가득했었는데…

국밥 예찬

노소정

괜히 든든함의 대명사이겠는가!
20분 동안 입안에서 천국이
터질 듯한 뱃속에서는 기쁨의 외침이

배를 가득 채우면 입가엔 미소가 걸린다

시험 다음 날

노소정

반년에 단 두 번
우리에게 허락된 극한의 자유

뒤에서 일등 한대도
얼마든지 잊고 놀 수 있는 이 순간

삼삼오오 모여서는 웃고 떠든다
아아, 시험이란 어찌 공공의 적이 아니겠는가!

*과연

시험을 준비할 때마다 4Kg씩 쪘다.
스트레스를 받으면 먹어대는데 시험 준비 스트레스가 너무 심해서
4인분을 거뜬히 먹으니 당연한 결과겠지만,
이 정도 증량은 나에게도 충격이다.

이 시의 의미는 마지막 문장에 응축되어 있다.
시험을 좋아하는 사람이 세상에 존재나 할까?

처음 뵙겠습니다

노소정

안녕들 하십니까?
이 세상이 궁금한 학생입니다
서로를 이해하는 데는
함께 보내는 시간이 최고의 교과서일 테죠

그러니 자기소개는 건너뛰겠습니다

우리가 정녕 운명이라면,
우리의 시간이 모두 말해 줄 터이니

라면

배건호

PC방에 갔다
라면을 시켰다
라면이 나왔다

친구들이
한입만이라더니

다 사라졌다

비둘기

배건호

비둘기를 오는 길에 봤다
근데 교실에도 비둘기가 있었다
그 비둘기가 계속 시끄럽다
그래서 사람들이 비둘기한테 겁을 줬다

여전히 비둘기는 시끄럽다

비둘기라는 이름은

비둘기
많은 비행
많은 날 동안
불렀던 이름
하지만 그 이름은
더러움을 준다
기분 나쁠 때는 모른다

비가 오는 날
혼자 비를 맞아 몸이 많이 아픈 날
그리고 만날 수 있는 사람이 없는 날에
그 모든 그것을 뒤로하고
아무리 어려운 환경이라도
그것을 뚫고 날아오르는
비둘기

닭발

원하린

스트레스를 받았거나
매운 음식이 땡길 때
생각나는 닭발

어렸을 때부터 회도 잘 먹고
생간도 잘 먹는 탓인가
그렇게 거부감이 들지는 않았다
아니, 오히려 맛있을 것 같다고
처음 먹기 전부터 생각했다

매운 걸 못 먹었던 나에게
도움이 돼 준 닭발
닭발을 자주 먹으니
매운 것에 내성이 생긴 것인가
그 때문에 매운 것을 잘 먹게 되었다

존재 자체가 나에게 행복인 것
그런 사람이 나의 이상형이 되었다

모기

원하린

나를 괴롭히는 너
그런 너를 죽이러
모든 곳을 다 자세히 들여다본다

눈앞에 나타나면 없애버리고 싶고
없어지고 다시 사라지면
없어서 불안할 걸 알고 있지만
그럼에도 죽이고 보니 내 피였다

나는 내 피를 죽였다

바다

원하린

끝이 보이지 않는 물과
파도를 보며 생각해 본다

내 눈물 한 방울 떨어뜨려도
티가 안 나지 않을까?

어쩌면 이 넓은 물도
누군가의 눈물 한 방울씩이
모여 있는 것 아닌가

하지만 그렇다기엔
누군가에겐 추억인걸

이별의 밤

원하린

사랑이란 게 원래
한 사람이 더 많이 좋아하면
힘든 거라고 한다

이별에도 두 가지 종류가 있다
하나, 잠시 휴식을 취하기 위해 떨어져 있는 것
둘, 아예 끝나버린 것

한 명이 무너지면 끝나버리는 관계

이별이다

퍼펙트 귤

이서현

귤귤
맛있는 귤

귤귤
새콤한 귤

귤귤
과즙이 넘치는 귤

초겨울에 나오는 귤이
이 모든 걸 담고 있는
퍼펙트 귤

모기

이서현

깜깜한 새벽
평범한 사람이라면 대부분 잠에
스며들고 있을 시간이다

위이잉~

젠장! 모기다!
불을 켜 모기 채를 가져와 눈을
요리조리 돌리며 '탁' 잡았다

안도한 뒤 다시 모기채를 제자리에
놓고, 불을 꺼 편히 누웠다

...
위이잉~

젠장! 모기다!

음악

음악은 듣는 사람을 신나게 슬프게
또는 평온하게 등등
감정을 휘몰아친다

대중교통에서 이어폰을 꽂고
음악을 들으면 마치
딴 세상에 온 것 같다

모든 음악은 다 매력 있다
모두 다 재밌다

음악은······
행복이당!

족발

세상에 수많은 돼지 요리가 있지만
족발만 한 게 없다

쫄깃쫄깃하고 부드러운 식감의 조화
고소하고 기름지고
쌈 싸 먹으면 사라지는 느끼함

말랑말랑하고 윤기 나는 아리따운 너의 자태

모르고 있었지만 나는 너를 참 좋아하는구나
평생 너와 함께하고 싶어

가을

이지민

창문을 연다
알록달록한 단풍이 산 전체를 물들인다
푸르른 하늘 구름 한 점 없이 높다
시원한 바람이 내 코끝을 스친다
계절이 바뀌고 함께 할 수 있는 시간이 짧아진다

차가운 바람이 허무하다

공주

이지민

사촌 동생이 묻는다

누나는 꿈이 뭐야?

공주

우리 아빠가 나를 공주라고 부르니
나는 벌써 꿈을 이뤘다

감기

이지민

감기, 그대는 왜 나를 버리지 못하시나요
내가 그리도 좋나요

"나 이제 가볼게."
"제발 가."
"몇 주 후에 다시 올게."

시도 때도 없이
콜록콜록
훌쩍훌쩍
이것이 진정 당신이 원한 바입니까

이번에 떠나실 때에는
다시 돌아오지 않길

초등학교

이지민

1년 전까지만 해도
매일 매일 갔던 그곳

아이들의 웃음소리가 멈추지 않고
순수함으로 가득했던 그곳

만남은 쉬웠지만
이별은 아쉬웠다

가까이 있어도 다시는 못 가는
그리움으로 가슴이 벅찬 그곳

결국, 추억으로 남겠지

돈카츠

이지안

바삭바삭 돈카츠
쏙 집어 소스에 찍어 먹으니
환상의 맛이네

고소~한 돈카츠
냉 메밀과 함께 먹으니
계속계속 먹고 싶네

친구의 담요

이지안

친구가 담요를 줬다
포근했다
이제 친구가 담요를 달라고 한다
도망쳤다
그래서 10분 더 썼다
포근했다
이제 돌려줄 시간이다

춥다

친구

이지안

오늘은 내 생일
반려동물을 기르기로 했다

반려동물 가게에
강아지, 햄스터, 도마뱀, 고양이, 뱀

그중에서 고양이의 눈빛이
초롱초롱하다

좋아. "엄마, 저 고양이 키울래요."
고양이는 내 친구

*친구가 된다는 것

처음에는 좋다고 하하 호호
나중에는 의견 안 맞는다고 투탁

병아리

병아리는
내 어릴 적에 동반자
평일이나 주말이나
어릴 적 동반자

병아리는
내가 힘들 때
위로해 주던
어릴 적 동반자

병아리는 닭이 되어 시골로
끌려갔다
동반자는 시골로
끌려갔다

마라탕

향신료 냄새로
집 안을 덮었다

꿔바로우도 한 입 먹는다
양고기를 먹는다
입에서 사르르 녹는다

고기만 먹어
다른 토핑은
잔뜩 남았다

독수리

이지현

독수리는
높은 하늘에서
낮은 땅을
내려다본다

끼에에엑
끼에에엑
내려다본다
사냥감을 보고
사냥감을 낚아챈다

애착 이불

이지현

푹신하고
포근하고
따뜻하고
깨끗하던
내 이불

이제는

딱딱하고
먼지 많고
찢어지고
더러워진
내 이불

안녕

허언증

이지현

내 친구들은 다
나를 너무 좋아한다
라고 착각한다

하지만 내 절친은
나를 너무 좋아한다

이것도 착각이었다

퀸아망

이현아

속은 페이스트리 같고
겉은 바삭바삭 맛있다

겉에 캐러멜 시럽도 발려있어
정말 맛있다

우유랑 함께 먹으면
안 좋았던 기분도 좋아진다

거의 다 먹으면
정말 아쉽다

학교

이현아

띠리리리 띠리리리
수업 종이 울렸다
띠리리리 띠리리리
쉬는 시간 종이 울렸다
쉬는 시간이다!
친구들과 재밌게 논다
간식도 먹고, 수다도 떨며
역시 재밌는 학교
재밌는 친구들

샤프

이현아

나는 네가 그립다
나는 네가 보고 싶다

매일 나와 붙어있던 너

시험 때도
학원에서도

나는 네가 그립다
나는 네가 보고 싶다

여행

이현아

여행하고 싶다
일본으로
러시아로
미국으로

여행 가고 싶다
아무 걱정 없이
아무 생각 없이
아무 일도 없이
화창한 날
비 오는 날
구름이 많은 날
다 상관없다

난 그저 여행을 가고 싶다

*비행기 타고

여기서 살면 걱정되는 일이 너무 많아서
걱정 없이 아무 생각 없이 비행기를 타고
여행을 가고 싶었다

이별

전현준

나는 오늘도 친구 하나를
잃었다
나와 같은 반
친한 친구

거기에서는 잘 지내려나

보고 싶다

라면

정태조

날이 춥다
날씨가 추울 땐 역시 라면이지!

김이 폴폴 나는 라면
후루룩 한 입하면 맛있어서 깜짝!

따뜻한 국물 한번 마시면
추워서 얼었던 내 몸이 사르륵 녹는다

꿀꺽!!
"카하아."

친한 친구

정태조

척 보면 척이다
말하지 않아도
눈빛만 봐도
내 마음을 딱 알아맞힌다
가만히 보기만 해도
웃음이 실실 나온다

툴툴대도
돌아서면
하하 호호

깔깔 웃다가도
슬프면
위로해 주는 친구

내 가장 친한 친구

이별

정태조

이별은 언제나 슬프다

친구와 이별할 때도
가족과 이별할 때도
누구와 이별할 때도

이별은 언제나
슬픈 것

김치볶음밥

편서윤

김이 펄펄 나는 김치볶음밥
치즈 한 장 올리면 더욱 재밌고
볶고 볶아 바삭하게 만들면 더욱 맛있고
음악과 같이 리듬을 타며 만들면 더욱 신나고 하지만
밥은 모두 모두 맛있어!

이별

편서윤

어쩔 수 없이 겪게 되는 이별
이렇게 끝나가지만
별처럼 빛나 다시 만날 거야!!

탕후루

한예은

과즙 팡! 팡!
딸기를 씻은 후
물기를 톡! 톡! 닦고
새하얗고 고운 설탕을 냄비에 부어
보글보글 적당히 끓여 준 뒤

얼음물에 한 방울 톡! 넣어
딱딱해지면 거의 완성된
탕후루

딸기를 꼬치에 꽂아 완성된 시럽을
골고루 묻혀주면
상콤달콤한 냄새가 내 코끝을 찌른다

한 입 맛보면 바삭달콤
이런 맛이 세상에 어딨을까?

누가 뺏어 먹을라
바닥에 떨어질라
근심 걱정하면서 탕후루를 음미한다

친구

한예은

항상 보고 싶은 나의 친구
매일 보고 싶은 나의 친구
1분 1초 매 순간 보고 싶은 나의 친구
난 이 친구와 함께 하루하루를 살아갔습니다

일기를 쓸 때도
항상 그 친구의 이름이 쓰여지고
가족과 얘기를 나눌 때도
그 친구의 이야기를 했습니다
없어선 안 될 그 친구 또 보고 싶습니다

지금 뭐 하고 있나 궁금하고
남자친구는 있나 궁금하고
똥은 쌌나 궁금하고
오늘 하루 어땠는지 궁금하고
그 친구에 대해 모든 것이 궁금합니다

난 그 친구와 같은 학원에 다니고
같은 반이고 바로 옆집에 살았습니다

하지만 지금은 그 친구를 영영
볼 수 없습니다

이별

한예은

이별이란 뭘까?
어렸을 땐 이별이란 단어가 궁금했다
하지만 지금은 그 단어를 알게 되었다

이별

가장 사랑하고 소중했던 어떤
누군가를 볼 수 없게 되는 것이다

난 이별이란 단어가 싫다

꿀 호떡

황혁진

꿀 호떡은 맛있다
꿀 호떡은 싸다
꿀 호떡은 양이 많다
꿀 호떡은 간편하다
꿀 호떡은 올드보이 군만두다
꿀 호떡은 한 줄기 빛이다
꿀 호떡은 음식을 대표한다
꿀 호떡은 지구의 꽃이다
꿀 호떡은 진리다

내 뒤에 친구

황혁진

내 뒤에 친구가 있다
하나는 칼날이고 하나는 불이다
칼날처럼 날카롭고
불처럼 뜨거운 내 친구
상대를 베고
불로 지지는 내 친구
그래도 좋은 내 친구
장난칠 때면 무딘 날로 베는 내 친구
먹을 거 줄 땐 불로 익혀주는 친구
내 친구 둘, 좋은 친구 둘

축구와 친구

황혁진

나는 축구를 못 한다
나는 헛발질도 많이 한다
나는 세모 발이라 앞으로만 나간다
나는 슈팅도 못 한다
나는 몸싸움도 못 한다

축구를 못 하는 이런 나지만
친구 앞에선 자신감이 생긴다
친구 앞에서는 헛발질도 안 한다
친구 앞에서는 슈팅도 잘한다
친구 앞에서는 몸싸움도 잘한다

이래서 친구가 중요하다

축구

황혁진

축구란 뭘까
축구란 구기 종목이다
동그란 공을 발로 차며 골문 앞까지 달려가는,
공 가지고 차고 뺐고 막는 구기 종목처럼

축구란 치킨이다
싫어하는 사람이 없는, 언제 먹어도 좋은
치킨처럼

축구란 얼굴이다
언제봐도 재밌는
웃긴, 때로는 우울한 얼굴처럼

나는 축구를 못 한다
하지만 재밌다

친구

황혁진

보면 볼수록 웃음이 나는 친구
하는 짓도 웃기고 옆에 있기만 해도 좋다

마지막 교시가 끝나고 집 갈 시간이 되자
아쉽다
내일도 만날 친구를 보며
인사를 나눈다

함께 하는 기쁨, 동그라미 마음

포근함과 불편함 그 사이

강은빈

가족들과 있으면 행복하고 포근(새근새근)
또 어떤 날에는 눈치 잔뜩 보고 불편(이리저리)

매일 보고 행복하지만
누구보다 사랑하지만, 포근하지만
불편하다
포근함과 불편함 그 사이

미래

강은빈

지금 애를 쓰고 있다고 미래의 결과를
단정 지을 수 없다
미래는 변덕쟁이이다

당장 내일은 좋다가도 일주일 뒤에는
싫을 수 있으니 말이다

지금은 미래의 성적에 애를 쓰고 있다
변덕스러운 미래를 확신할 수 있을 만큼 노력할 것이다

동반자

김동호

우리 가족은 등산을 좋아한다
나 또한 등산을 좋아한다

나와 가족이 등산을 갔을 때였다
나는 등산을 하다가 지쳐 쓰러졌었다
우리 가족은 그런 나를 기다려 주었다
덕분에 우리 가족은 다 같이 등반할 수 있었다
나도 앞으로 우리 가족을 기다리고 도와줄 것이다
나와 우리 가족은 평생을 함께 등반하는
동반자니까

윤회

김동호

전류가 흐르듯
유한하지 않은
윤회가 회전하듯
반복되고 있다

우리가 사는 지구도
태양 주위에서
반복해서 공전하고
반복해서 자전한다

우리도 자연에 따라
윤회하고 있다
그러니 우리는
윤회가 우리에게
주는 의미를 다시 한번
생각해 볼 필요가 있다

자연이 묻는다
윤회란 무엇인가?

달

김동호

나는 달이다
왜냐하면, 어둠과 같은
위기 속에서
빛을 발한다

또한, 만유인력처럼
사람을 끌어모아
합성시킬 수 있다

어려움 속에서
항상 빛을 내는 나

오빠와 나

김서우

오빠는 나를 싫어한다
나도 오빠가 싫다
나는 오빠보다 공부도 잘하고 그냥 잘났다
근데 오빠는 공부도 못하는데 못났다
그래서 서로 싫어한다

그래도 엄마는 우리 둘 다 좋아한다

만화책

김서우

내 어릴 적 친구 만화책
내 어릴 적 유일했던 친구 만화책
그런 만화책이 어느 날 사라졌다

더 좋은 쥔을 찾아간 만화책

잘살아…

행복

김현우

나의 행복
그의 행복
그녀의 행복

이것이 다 모여
가족을 꾸립니다
행복할 땐 행복하고
화날 땐 화내는
가족이네요

일기

김현우

뭘까
대체 뭘까

시가 아니면
뭘까
책도 아니고
소설도 아니고
시도 아닌 이것은
뭘까

논문도 아니고
신문도 아니고
글도 아닌 이것은

나의
일기다

엄마의 행복

김현우

처음 시험 보고
70점 맞고
엄마는 응원하고

두 번째 시험
90점 맞고
엄마는 신나고

세 번째 시험
100점 맞고
엄마는 자랑하고

마지막 네 번째 시험
80점 맞으니
엄마는 100점이 아니라
싫으신가보다

보고 싶습니다

노소정

담배 연기에 캑캑대던 나를
허허 웃으며 바라보던 그대
이 별을 빛내는 보석 같던 그대가
떠났다

내 마음속에서 그대는
몇십 년이고 곧게 자라는 소나무로 남으리
세상을 유유히 헤엄치는 바람으로 남으리
가장 뜨거운 붉은 빛을 머금은 단풍잎으로 남으리
세계 제일의 미소로 남으리

적어도
차가운 흙 속에 그대를 묻고서는
무참하게도 지워버리진 않으리

집

노소정

네가 좋아
매일 아침 너를 떠나오자마자
너에게로 가고 싶지

너와 떨어진 시간이 길어질수록
너에게로 가고 싶어

하지만 수줍은 너는 날 찾아오지 못하기에
그리움은 커져만 가

마침내 네 품 안에 안겨
나를 가장 잘 아는 사람들을 만나도
네가 날 위해 준비한 공간에 파고들어도
여전히 너에게로 가고 싶어

흔들리는 꿈속에서

노소정

누군가의 삶에 남는
참스승이 되리라며 결심한 지 몇 해

하지만 심각해진 상황

내가 버틸 수 있을까
정녕 내 길인 것일까
고민만 잔뜩 쌓아간다

앞으로 내 장래희망은
한동안 공란일까

가족

이서현

가족은 좋다
가족은 그립다
가족은 이쁘다
가족은 사랑이다
가족은 짱이다
.
.
.
가족은 모든 것이다

*짱

가족은 모든 것이다.
가족은 말로 설명하기 힘들다.
가족은 짱! 가족은 모든 것!
가족이 없으면 사는 것도 아닐 것이다.

가족

이현아

가족은 특이하다
가족은 특별하다

좋을 수도 있고
나쁠 수도 있다

정말 다양하다
정말 특이하다

*사랑

다양한 형태를 가진 가족들이 많다.
조금은 특별하고 느껴지기도 하고
조금은 특이하게 느껴지기도 하다.
그렇지만 가족은 서로를 위하여 여러 가지를 하고
항상 서로를 사랑해주고 아껴준다.

인생

전현준

매일
주말 빼고
똑같은 인생

매일 재밌지만
재미없는 인생
매일 놀고 싶은
인생

하지만 다신 안 올 인생
열심히
살아야겠다

잔소리

정태조

엄마는 항상 잔소리다

"방 좀 치워라!"
"공부는 언제 할 거니!!"
"숙제 좀 해."
"핸드폰 언제까지 할 거니!!"

듣기 싫지만…
들어서 안 좋을 거 없으니
어쩔 수 없이
"네…."

쓰레기

편서윤

동생은 매일 선물이라며 쓰레기를 주워준다
알지만 속아주고 그 표정이 너무 웃기다

오늘도 주겠지?

부모의 존재

편서윤

친구는 내 곁에 당연히 있을 거라고 생각하지만
어떨 땐 내 곁에 부모만 남아요

친구가 부모보다 더 좋다고 생각하지만
어떨 땐 내 곁에 부모만 남아요

친구한테 내 비밀을 알려줄 정도로 믿을 사이라고 생각하지만
어떨 땐 내 곁에 부모만 남아요

내 곁을 쭉 남아주는 사람은 부모

가족

편서윤

가족은 내가 무엇을 해도
내 곁에
있어 준다

나도 가족이 무엇을 해도
가족 곁에
있어 줄 것이다

짜증 그리고 귀여움

한예은

동생은 정말 짜증 난다
자기가 먼저 잘못해놓고 엄마한테 이르고,
아직 10살밖에 안 됐는데
왜 이렇게 짜증 날까?

하지만 동생이 애착 인형처럼 포비를
안고 가는 그 순간만큼은
귀엽다

에필로그

가을이 한창 무르익어 나무들이 제각기 옷을 갈아입던 즈음부터 차가운 겨울비가 내리던 날까지, 아이들은 한편의 완성된 시를 써 보고자 애면글면 글을 쓰며 계절의 가운데에 섰습니다.

글을 쓴다는 것은 다른 사람 앞에서 벌거벗은 나를 내보이는 것입니다. 세상 그것만큼 힘든 것이 없습니다. 특히 자신의 예쁜 모습과 씩씩한 모습만 보이고 싶어 하는 청소년들은 내면 깊은 곳에 있는 여리고 상처받은 '나'를 남에게 보이고 싶어 하지 않습니다.

그런데도 우리는 글을 썼고, 그 소중한 글들을 모아 책으로 내보이게 되었습니다. 자신을 들여다보며 비밀일기 같은 글을 쓰는 것만으로도 스스로 힘이 되고 치유의 시간이 되었기를 바랍니다.

초롱초롱한 눈, 쫑긋한 귀, 연필을 꽉 쥔 손, 글자 하나하나 정성 들여 글을 써 내려가는 그 모습을 가슴 깊이 간직하겠습니다.

'**우리 손으로 피워낸 시**'라는 책의 제목처럼 모두 모여 시를 썼더니 한 권의 소중한 책이 되었습니다.

앞으로 자신의 정체성을 찾고 미래를 꿈꾸는 일에 이번 책쓰기 수업이 좋은 밑거름이 되어, **아름다운 미래가 여러분 손에서 피어나기를** 바랍니다.

우리여서 행복한 시간이었습니다.

2023년 12월 어느 겨울날
도움 작가 최상희